Mon coeur
après la pluie

Pour enjoliver vos jours de pluie,
visitez le : www.soulieresediteur.com

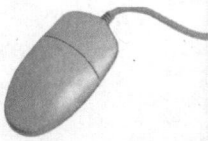

Mon coeur
après la pluie

poésie de
Pierre Labrie

illustrée par
Mika

SOULIÈRES
ÉDITEUR
www.soulieresediteur.com

case postale 36563— 598, rue Victoria
Saint-Lambert (Québec) J4P 3S8

Soulières éditeur remercie le Conseil des Arts du Canada et la
SODEC de l'aide accordée à son programme de publication
et reconnaît l'aide financière du gouvernement du Canada
par l'entremise du Fonds du livre du Canada (FLC) pour
ses activités d'édition. Soulières éditeur bénéficie également
du Programme de crédit d'impôt pour l'édition de livres –
Gestion Sodec — du gouvernement du Québec.

Canada Conseil des Arts
du Canada   Canada Council
for the Arts SODEC
Québec

Dépôt légal : 2019

**Bibliothèque et Archives Canada et Bibliothèque et
Archives nationales du Québec**
Labrie, Pierre,
Mon cœur après la pluie
(Chat de gouttière ; 66)
Pour les jeunes.

I. Titre. II. Collection : Chat de gouttière ; 66.

PS8573.A272M66 2019 jC841'.6 C2018-942616-0
PS9573.A272M66 2019

Illustration de la couverture
et illustrations intérieures :
Mika

Conception graphique de la couverture :
Annie Pencrec'h

À tous les petits cœurs
après la pluie

Elle
Histoire d'eau
J'aimerais lui tenir la main
La suivre dans ses rêves
J'imagine qu'ils sont beaux

LUI

quand
tout
commence

[9h48]
il pleut
si ça continue nous ne sortirons pas
je jouerai aux échecs avec Émile
ou peut-être que Morgane
voudra bien regarder
les livres de sciences avec moi
ou peut-être que je dessinerai
dans notre cahier de BD
avec Antoine et Hubert
tout peut arriver
il pleut et la deuxième période se termine
j'attends l'annonce à l'interphone
il pleut trop pour aller dehors
j'attends qu'on le confirme

« Avis au personnel de l'école et aux élèves… Comme vous avez pu le constater, il pleut beaucoup depuis ce matin, alors la récré se fera à l'intérieur. À moins d'avis contraire, cette décision sera maintenue pour la journée. »

voilà
maintenant c'est dit
ça va se passer à l'intérieur
tout ce qui arrivera aujourd'hui
arrivera à l'intérieur

[10h30]
je trouve qu'Isabelle
est très jolie aujourd'hui
mais je n'oserai pas le lui dire
les amis pourraient rire
jusqu'à la fin de l'année scolaire

ils l'ont fait
l'an denier
parce que Maxime
avait dit de Caroline
justement
qu'il la trouvait belle
pas question que ça m'arrive
je vais garder ça pour moi
peut-être
que je ne le penserai plus demain

la cloche sonne
nous restons à l'intérieur

[10h32]
j'ai fait un choix
je joue aux échecs avec Émile
comme nous le faisons
tous les mardis après l'école
depuis deux ans
depuis que son grand-père
maintenant décédé
nous a montré à jouer

Émile et moi
avions observé
son grand-père et son oncle
jouer chaque semaine

assez observé pour apprendre à jouer

depuis la mort de son grand-père
son oncle ne joue plus
même lorsqu'on le lui propose
il refuse

[10h35]
l'oncle d'Émile est allé à la guerre
il en est revenu différent
comme le disait le grand-père d'Émile
tout ce qu'il acceptait de faire
de ses journées
était de jouer aux échecs
mais pas avec n'importe qui
seul le grand-père d'Émile
arrivait à le consoler
quand il se souvenait de la guerre
et de son amoureuse
qu'il avait perdue là-bas
elle aussi était partie là-bas
mais elle n'était jamais revenue

Émile et moi
nous nous étions juré
de ne jamais avoir d'amoureuse
au cas où nous irions à la guerre

nous aimons jouer aux échecs

[10h38]
bien sûr la récréation n'est pas longue
alors qu'une partie d'échecs
est tout le contraire
nous savons
que nous ne pourrons pas terminer
c'est tant mieux
car Isabelle nous observe
et je n'arrive pas à me concentrer

c'est la première fois que ça m'arrive
en tout cas
en jouant aux échecs

habituellement
je ne suis déconcentré
que lorsque je dois me retrouver
seul devant la classe
pour un exposé

mais là
il n'y a qu'Isabelle qui m'observe

[10h45]
sauvé par la cloche
mon honneur est sauf
nous rangeons le jeu d'échecs
dire que la cloche
ne me fait pas cet effet habituellement

Isabelle retourne à sa place
passe rapidement devant moi

je dois avouer qu'elle sent bon aujourd'hui
mais ça aussi
je vais le garder pour moi

[10h50]
l'an dernier
Victor avait dit
qu'il trouvait que Tristan sentait bon
toute la classe
ou presque
avait rigolé

madame Irène
moi
Émile
Isabelle
Annie
et Victor
nous n'avions pas ri du tout

Yohan n'avait pas ri longtemps
voyant que nous étions six à ne pas rire
le lendemain
il s'était excusé auprès de Victor

[10h52]
Tristan n'a jamais reparlé à Victor
même quand
le mois dernier
ils devaient travailler
ensemble
sur un projet
tout s'est fait en silence

je n'ai toujours pas compris
pourquoi nous ne devions pas dire
d'une autre personne
qu'elle sent bon

il est clair
que je garderai pour moi
et entièrement pour moi
le fait qu'Isabelle sent bon aujourd'hui

[10h54]
depuis que Tristan ne parle plus à Victor
Victor joue et ne se tient
dans la cour d'école
qu'avec des filles

ça aussi on dirait que c'est à éviter

plusieurs gars de sixième année
se moquent de lui

aujourd'hui pendant la récréation
pendant que la pluie tombe
Victor dessine des cœurs
avec Mathilde
Edith
Julie
Martine
et Lorina
dans la grande fenêtre de la classe

les jours de pluie
madame Stéphanie nous permet
de dessiner au feutre sec
dans les fenêtres
si nous effaçons bien nos gribouillis
avant la fin de la journée

mais pas n'importe lesquels

[10h59]
il y a deux semaines
Tristan et Noah ont écrit
quelque chose sur les fenêtres
quelque chose qu'il ne faut pas écrire
quelque chose que madame Stéphanie
a rapidement demandé d'effacer
quelque chose qui a conduit
Tristan et Noah chez le directeur
quelque chose
qui a fait de la peine à Victor
et aussi à Marco

ça s'est passé
pendant la récré d'après-midi
Tristan, Noah, Victor et Marco
étaient restés pour terminer un examen
il y a plusieurs rumeurs
sur ce qu'ils ont écrit

Tristan ne parle plus à Marco non plus
depuis ce jour

[11h05]
Isabelle
est assise deux bureaux devant moi
il n'y a que Tristan et son bureau
qui nous séparent
j'arrive à sentir son odeur de ma place

je me demande si ce n'est pas mon nez
qui a gardé l'odeur pour lui
pour moi

parce qu'entre Isabelle et moi
il y a Tristan
qui lui
ne sent pas toujours très bon

comme tous les garçons
de la classe
d'ailleurs
madame Stéphanie
nous rappelle continuellement
qu'il est important d'utiliser du déodorant
surtout après l'éducation physique

moi je fais le plus attention possible

je me demande si Isabelle trouve aussi
que je sens bon

[11h08]
en revenant de la récréation
si nous n'avons pas fait de l'exercice
sur de la musique au tableau interactif
madame Stéphanie lance toujours
une grande joute de maths
pour nous faire bouger
des muscles et de la tête

en quatre équipes
debout
en formation carrée
nous joutons

les quatre équipes représentent des clans
comme au temps des chevaliers

moi
je suis du clan du Lapin blanc

devant moi
Isabelle
et ses yeux noisette qui m'observent
parce qu'elle sait
que nous sommes souvent
les deux plus grands jouteurs
et qu'à la toute fin
à moins qu'Émile ou Annie ne s'en mêle
ça se terminera entre elle et moi

[11h20]
le clan d'Isabelle a gagné
ex aequo avec celui d'Annie
nous avons terminé juste derrière
et celui d'Émile bon dernier

je suis content
qu'Isabelle et Annie aient gagné
et grâce à elles en plus
elles le méritent
elles sont si intelligentes

et moi
perdre devant elles
ça ne me dérange pas
ce n'est pas le cas de Tristan
le jouteur le moins participatif
de notre clan
qui déteste se faire battre par des filles

il a promis de ne plus me parler
jusqu'à la fin de l'année
parce que j'ai laissé les filles gagner

je ne les ai pas laissées gagner
et ça ne me dérange pas vraiment
qu'il ne me parle plus

[11h26]
après la grande joute
chacun regagne sa place
nous avons des problèmes à résoudre
j'aime les maths
j'ai toujours aimé les maths
je suis toujours rapide avec les maths
mais pas aujourd'hui
je n'arrive pas à me concentrer
même quand Isabelle ne me regarde pas

devant mon problème de maths
une main sur la feuille avec mon crayon
mon autre qui fait tourner une efface
entre ses doigts

mes yeux ailleurs
j'observe Isabelle qui replace ses cheveux

[11h27]
elle a les cheveux bruns
un peu bouclés
moins longs que ceux de Mathilde
mais plus longs que ceux d'Annie

elle fait le même geste
depuis tantôt
pour replacer
sa mèche de cheveux
qui tombe devant ses yeux
l'empêchant de bien voir
son problème de maths

elle l'a aussi fait
pendant le tournoi
alors qu'elle me fixait du regard

je n'avais jamais remarqué ses cheveux
avant

pourtant nous sommes
dans la même classe
depuis la maternelle

[11h44]
madame Stéphanie
vient de faire une remarque
sur le fait que je ne suis pas
très concentré
sur le fait que mon problème de maths
ne semble pas autant m'intéresser
qu'à l'habitude

au contraire de Tristan
elle ne l'a pas crié devant toute la classe
elle est venue me le dire
doucement à l'oreille
en me faisant un sourire
en tournant ses yeux
en direction de deux bureaux devant

j'ai bien peur qu'elle n'ait remarqué
elle aussi
la senteur d'Isabelle

tant qu'elle garde tout pour elle
mon honneur est sauf

la cloche sonne
je devrai terminer mon problème ce soir
moi qui ramène rarement
de devoirs à la maison

là c'est le temps de dîner
au service de garde du midi

quand
tout
continue

[11h56]
heureusement
Tristan n'est pas dans ma classe de dîner
Émile non plus d'ailleurs
mais lui
c'est que sa grand-mère et son oncle
habitent tout près de l'école
moi
mes parents travaillent en ville
je dîne donc à l'école et pas Émile

alors
pendant que Tristan
traumatise un autre groupe
sur un autre étage
nous dînons plus calmement

heureusement aussi
que Tristan est ailleurs
car il n'y a que des filles à ma table
les éducatrices l'ont décidé ainsi

moi
ça ne me dérange pas
mais j'espère chaque jour
que Tristan ne le découvre pas

[12h04]
Annie me sourit beaucoup ce midi
je dois avoir une moustache de lait
sinon pourquoi tant de sourires
je lui souris aussi
en cachette
sans que les autres me voient

plusieurs fois
je passe ma serviette de table
sur ma bouche
et Annie continue de sourire

peut-être est-elle contente
de m'avoir battu
au tournoi

mais ce n'est pas son genre

Annie qui est si gentille
si aidante
si intelligente
si souriante
et si jolie

[12h10]
comme pour Isabelle
je n'avais pas remarqué avant
qu'Annie était jolie

pourtant elle aussi
je la vois chaque jour d'école
depuis la maternelle

je me demande
si elle sent aussi très bon
comme c'est le cas d'Isabelle
mais les différentes odeurs de bouffe
me le cachent bien

[12h30]
une fois les boîtes à lunch rangées
l'éducatrice nous propose
une activité de dessin
elle demande
à ce que les élèves gardent leur place
que chaque table
devienne une équipe créatrice
nous travaillerons
et réfléchirons en équipe
les décisions devront se prendre en équipe
les résultats seront des résultats d'équipe

je suis à cette table
depuis le début de l'année avec cinq filles
Isabelle
Annie
Catherine
Mégane
Maude
et moi
devrons créer une affiche

une affiche
pour le concours de la Saint-Valentin

si jamais Tristan apprend ça
je suis mort
d'une épée en plein cœur
ses paroles sont tranchantes

[12h35]
les filles ont vraiment de très bonnes idées
moi
je ne suis pas concentré

depuis que l'odeur de la bouffe
s'est dissipée
celle d'Isabelle
à ma gauche
a repris sa place dans mon nez
et en me penchant
pour pendre un feutre bleu
au centre de la table
l'odeur d'Annie
est aussi venue m'effleurer

je le sais maintenant
Isabelle et Annie sentent
vraiment bon
toutes les deux

[13h09]
l'heure du dîner se termine
nous rangeons les affiches
les crayons
les accessoires de bricolage

je m'assure que notre affiche
est sous toutes les autres
je m'assure que Tristan ne sache pas
ne sache jamais
je pense à l'épée et à mon cœur

je retourne tranquillement en classe
suivi de près par Annie et Isabelle
qui parlent de trucs de filles
qui rigolent
qui disent des choses vraiment drôles

j'aime leurs rires
leurs blagues

[13h12]
une période d'anglais
une récréation
une période de français
puis ce sera le retour à la maison
sous la pluie
probablement
car le ciel est toujours
aussi sombre dehors
et la pluie aussi présente

mon père m'a prêté son parapluie
ce matin
avant mon départ
je marche chaque matin pour l'école
chaque soir aussi

je me demande
si Annie et Isabelle
ont un parapluie

[13h15]
madame Stéphanie nous annonce
avant que nous quittions la classe
avec nos cahiers et nos crayons
pour le local d'anglais
que nous resterons à l'intérieur
encore une fois
pour la récréation
la pluie ayant inondé la cour d'école

d'ailleurs Émile est revenu de son dîner
tout trempé

je prends mes cahiers
Annie passe en souriant
Isabelle la suit
je souris timidement
et je les suis

monsieur Dogson nous attend

au contraire de madame Stéphanie
nous appelons monsieur Dogson
par son nom de famille

ce n'est pas une loi écrite
c'est juste comme ça

même chose pour monsieur Châteauneuf
le directeur de l'école
et madame Louise
la directrice adjointe

[13h17]
le directeur et la directrice adjointe
je les croise d'ailleurs tous les deux
en retournant chercher
mes crayons dans la classe

j'espère
qu'ils ne poseront pas de questions
à moi ou à madame Stéphanie
sur mon égarement
parce que ça ne me tente pas de leur dire
que je manque de concentration
aujourd'hui
et qu'en passant près de moi
Annie et Isabelle
m'ont fait oublier mes crayons

en fait
je les ai oubliés tout seul
ce n'est pas de leur faute

c'est mon nez
ce sont mes yeux
qui sont les fautifs

[13h19]
de retour au local d'anglais
tout le monde travaille déjà dans son cahier
je m'avance vers mon enseignant
pour lui demander ce qu'il faut faire

je sais qu'il sait
que c'est la première fois
depuis qu'il m'enseigne
que j'ai ce genre de retard
et ce genre de question

j'ai un peu peur qu'il sache
comme s'il pouvait lire à travers moi
comme dans un livre ouvert

mais arrivé à son bureau
il m'explique
et je retourne à ma place

tout comme monsieur Châteauneuf
et madame Louise
il ne sait rien
je suis soulagé

[13h39]
dans ce local
Isabelle et Annie sont assises
l'une à côté de l'autre
rien d'anormal
ce sont deux amies depuis toujours

elles se connaissent depuis la garderie
bien avant
qu'elles entrent à la maternelle
dans notre école

plusieurs fois pendant le cours d'anglais
elles se tournent vers moi
chuchotent entre elles
sourient
et retournent à leur cahier

je comprends qu'elles ne rient pas de moi
mais je me demande bien
ce qu'elles me veulent

je ne crois pas halluciner
leur chuchotement
semble bel et bien
parler de moi

je rougis un peu

[14h15]
dans le corridor après le cours
Isabelle me donne une petite feuille jaune

je prends la feuille
un peu gêné
je la lis rapidement avec le sourire
sous le regard et les remarques blessantes
de Tristan
je la plie minutieusement
tout en marchant
et la mets dans ma poche de jeans

une invitation pour un vendredi party
chez elle
la semaine prochaine
pour son anniversaire

je rentre dans la classe
et je sais qu'Isabelle attend une réponse
parce qu'elle me cherche du regard

je comprends
maintenant
les chuchotements

[14h17]
parce que la pluie encercle toujours l'école
la récréation se passe encore à l'intérieur

après avoir dit à l'oreille d'Émile
qu'Isabelle m'invitait chez elle
et qu'il m'ait félicité
je me sens bien
même très bien

je crois qu'Émile a aussi compris
tout comme madame Stéphanie

je prends mon courage à deux mains
je m'approche d'Isabelle et d'Annie
qui viennent de s'asseoir
sur le gros divan
du coin lecture

et je lance timidement à Isabelle

« Ça me tente beaucoup…
 j'en parle à mes parents
et je te donne ma réponse demain. »

je rougis un peu

j'ai l'impression qu'elle aussi un peu

Annie sourit

et je rejoins rapidement
Antoine et Hubert
qui s'appliquent
sur notre projet de BD collective

[14h25]
il est temps que la récréation se termine
Antoine
Hubert
et moi
avons de la misère à travailler
sur notre BD

et ce n'est pas seulement
parce qu'Annie et Isabelle lisent tout près
et me jettent des regards parfois
entremêlés de sourires

mais parce que je ne fais qu'entendre
Tristan dire des méchancetés sur Victor
sur Jules
juste parce que Victor et Jules dessinent
avec
Mathilde
Edith
Julie
et Lorina
juste parce que Victor rigole avec Jules
juste parce que Jules le trouve drôle
juste parce que Victor met sa main
sur l'épaule de Jules en riant
juste parce que Victor semble
bien aimer la compagnie de Jules
juste parce que Tristan

trouve que Victor bouge
et parle comme une fille

et moi
pour tout ça
j'ai hâte que la récréation se termine

[14h28]
madame Stéphanie
nous annonce
qu'il faut ranger
nous annonce
que la cloche sonnera bientôt

tout le monde range
les élèves sont tous un peu excités
comme c'est souvent le cas
les jours de pluie
où nous restons tous ensemble
toute la journée à l'intérieur

c'est parfois difficile
de vivre seulement à l'intérieur

madame Stéphanie en est consciente
mais demande quand même
qu'on baisse d'un ton

je range
avec Antoine et Hubert
notre cahier BD
nos idées
et nos crayons de couleur

et comme la cloche
sonne la fin de la récréation

on entend Tristan crier

« Victor aime les gars ! »

[14h30]
après nous avoir demandé
de rester calmes
tous à notre place

c'est avec des éclairs dans les yeux
la voix qui gronde
au-dessus de nos têtes
et accompagnée par la pluie
qui martèle les vitres
que madame Stéphanie part rapidement
avec Tristan
direction
le bureau de monsieur Châteauneuf

personne de la classe
n'a déjà vu notre enseignante
dans cet état

personne ne rit

personne ne bouge

personne ne sourit

tout le monde respire en silence

quand
tout
se
confirme

[14h40]
au retour de madame Stéphanie en classe
nous sommes toujours
aussi muets qu'immobiles
elle se place derrière son bureau
elle nous regarde tous
un à un

et nous demande

« Levez la main, ceux et celles
qui trouvent ça normal
de trouver gentil ou gentille,
beau ou belle,
un autre ou une autre élève ? »

Victor ne lève ni la main ni la tête

Mathilde lève la main
Roxanne aussi
puis Isabelle
et Annie en souriant

et moi je lève la main
en regardant un peu autour
sans trop bouger la tête
Émile aussi
puis Maxime lève la main
et Théo

et Lou
et Édith
et finalement toute la classe
ou presque

Victor relève la tête
voit que tout le monde
sauf lui
a la main levée
et il lève finalement
tranquillement la sienne

[14h53]
monsieur Châteauneuf
entre dans la classe avec Tristan
ce dernier reprend sa place la tête basse
le directeur s'assure
que tout le monde comprend la situation
précise que c'est inacceptable
et que peu importe si les choses dites
sont réelles ou fausses
elles peuvent blesser

il s'assure que tout le monde comprend
en jetant un regard à chacun des élèves
et il quitte les lieux

et si j'espère très fort que Tristan se lève
pour demander pardon à Victor
rien de cela n'arrive
et madame Stéphanie
remet la classe en mode éducation

tout au long du cours de français
notre enseignante parle
et tous les élèves écoutent

elle parle peu de français
elle nous parle de différences
elle nous parle de guerre

elle parle d'intimidation
elle parle d'intimité
elle nous parle
et nous écoutons

[14h59]
moi
je ne peux m'arrêter de penser
que Tristan a peut-être révélé
un secret sur Victor
peut-être que Victor
voulait le garder pour lui ce secret
qu'il a le droit d'avoir un secret

comme moi je ne voudrais pas
que soit dit
aujourd'hui
devant la classe
que je trouve
qu'Isabelle sent bon
qu'Annie a le plus beau des sourires

pas plus que je n'aimerais
qu'on dise à tout le monde
que le seul avec qui je me sens bien
et à qui je peux faire
entièrement confiance
c'est Émile

pas plus que je n'aimerais
qu'on dise à tout le monde
que j'aimais beaucoup ma grand-mère
et que j'ai pleuré sans cesse
pendant quatre jours
lorsqu'elle est décédée
j'ai tellement pleuré
que ma mère me disait
qu'il ne resterait plus d'eau à tomber

pas plus que je n'aimerais
qu'on dise que j'adore encore
me coller sur mes parents
quand on regarde un film en famille
et que je donne un bisou
à ma mère
chaque matin
avant qu'elle parte travailler

et peut-être que Tristan
n'a révélé aucun secret

et ce n'est pas de mes affaires finalement
ça ne regarde que Victor

[15h01]
je pense aussi
à ce que je devrais dire à Émile
sans gêne
lui dire pour Isabelle
pour Annie
lui dire que mon nez m'a ouvert les yeux

lui dire
aujourd'hui
que je vois Isabelle et Annie différemment

je me demande ce qu'il me dira
lui qui connaît les deux
depuis la maternelle
lui qui me connaît très bien

je me demande s'il a aussi remarqué
l'odeur d'Isabelle
le sourire d'Annie

mais plus j'y pense
Émile a probablement compris
deux grands amis
n'ont qu'à se regarder
pour se comprendre
nous qui arrivions
à prévoir le coup de l'autre aux échecs

mes grands questionnements
sont écourtés
par la demande de madame Stéphanie
d'ouvrir notre cahier d'étude
à la page 42
elle recommence à parler de français
la compréhension d'un extrait
d'*Alice au pays des merveilles*

[15h12]
je m'applique à répondre
aux différentes questions de la page 42
je suis moins rapide qu'à l'habitude
souvent je termine avant les autres
et je peux lire la BD
qui est dans mon bureau

mais il est clair
que je ne lirai pas aujourd'hui
ma tête se lève
je regarde Annie
qui sourit
je regarde Isabelle
qui passe la main dans ses cheveux
j'échange des regards avec Émile
je vois que Victor semble moins triste
tout ça me rassure
je continue à travailler

[15h18]
madame Stéphanie
silencieuse
depuis que nous répondons
aux questions du cahier d'étude
demande maintenant
de déposer nos crayons

elle nous informe
que nous aurons un devoir surprise ce soir
un devoir à terminer
et à remettre demain
que ce devoir sera noté
que tous les devoirs des élèves
seront affichés dans la classe
jusqu'à vendredi prochain

que ce devoir est en fait un texte
que chaque élève devra écrire
que ce texte devra parler
d'un autre élève de la classe
qu'il est même possible
pour les plus inspirés
d'en écrire plus qu'un

et que le thème de ce texte
devra être respecté
surtout avec ce qui est arrivé aujourd'hui
mais que le genre est libre

[15h31]
la première cloche sonne
il est temps de ranger nos affaires
de faire rapidement notre sac
et surtout de ne rien oublier

je lève la tête
regarde devant
elle me regarde aussi
je montre à Isabelle que je place
sa petite feuille jaune d'invitation
dans mon agenda

je souris un peu niaiseusement
en fait
comme on se sent
quand on est le seul
à sourire dans un groupe
et qu'on sent que les autres
ne comprennent pas trop pourquoi
on sourit

et la cloche de fin de journée sonne

[15h34]
au casier
avant le départ de l'école
Annie me demande
si je veux marcher avec elle et Isabelle
je regarde autour
pour voir si Tristan a entendu
il a entendu
il rigole
et moi je m'en fous

je réponds oui à Annie
qui continue de sourire
comme elle l'a fait toute la journée
elle rejoint Isabelle
on s'habille en vitesse
et nous nous dirigeons
vers la sortie de l'école

devant la porte de l'école
Tristan crie
que je suis amoureux de deux filles

Isabelle lui demande s'il est jaloux

Victor le regarde droit dans les yeux

Jules lui dit qu'il agit comme un bébé

Annie lui rappelle
qu'elle l'a déjà fait pleurer
en maternelle
parce qu'elle avait pris son crayon rose

je lui dis
que ses paroles
n'ont plus d'emprise sur nous

Tristan baisse les yeux et se tait

mon honneur est sauf

[15h38]
dehors
c'est le déluge
la pluie toujours aussi présente
c'est un orage
il ne manque que les grondements
et les grands vents
pour que ça devienne difficile
de retourner à la maison

partout
les élèves courent en direction de chez eux
Émile court
chez sa grand-mère et son oncle
Tristan court jusqu'à son autobus
suivi par Victor et Jules

«Vite, nous devons courir,
sinon nous serons mouillés tous les trois!»

Isabelle court
Annie court
et je cours
sur la grande rue
les deux filles tourneront à la prochaine
et moi trois rues plus loin

Annie court vite
Isabelle aussi

Tristan ne trouverait pas qu'elles courent
comme des filles
moi j'arrive à les suivre

Annie court si bien avec un parapluie

Isabelle retient sa capuche
pour ne pas trop mouiller ses cheveux

elles tournent à gauche

on se dit à demain rapidement
et moi je poursuis vite mon chemin
en souriant

[15h49]
je cours toujours
seul maintenant
alors que la pluie
semble vouloir ralentir son débit
comme si elle avait compris
qu'il était temps qu'elle cesse
qu'elle se replie
que la joute est terminée
que tous rentrent chacun chez soi
chacun à sa place

[15h51]
dans ma rue
sur le trottoir
je m'arrête un instant
je regarde le ciel
en fermant mon parapluie
le ciel se fait moins menaçant
il ne reste qu'une pluie fine

et je me surprends à aimer
l'eau fraîche qui se dépose doucement
sur mon visage

je reste un moment
immobile
souriant
jusqu'à ce qu'une voiture
passe dans une flaque d'eau
et m'éclabousse

heureusement je suis tout près

je reprends ma marche

la pluie a presque cessé

ne reste que la fraîcheur sur mes joues

ne reste que le devoir de maths
à terminer
et un texte à écrire

et je devrai me sécher un peu les cheveux
en arrivant

[15h53]
en entrant dans la maison
comme ce n'est pas un soir d'échecs
je dépose mon sac d'école
je suspends mon parapluie
et mon manteau
je range mes bottes
et vite
dans ma chambre
j'ai un problème de maths à rattraper

je dois retrouver ma concentration

quand maman et papa
reviennent du travail
ils me trouvent soit
en train de lire une BD
en train de dessiner
en train de jouer à la Wii
en train de me pratiquer seul aux échecs

pas question qu'ils me posent
des questions sur mes devoirs
pas question que je me retrouve
obligé de leur parler de concentration
pas question que je parle
d'odeurs
de sourires
de mèches de cheveux
de rires
de regards

vite les maths
je dois d'abord en finir avec les problèmes

[18h16]
au souper
je parle avec maman et papa
de la pluie
de l'école
de Tristan
du malaise qu'il a créé en classe

nous parlons de la méchanceté des gens
de ses diverses sources
nous parlons des différences
nous parlons

j'arrive même timidement
le plus subtilement possible
à parler du vendredi party
pourtant ce n'est pas la première fois
que je suis invité
à la fête d'une fille
mes parents acceptent
je pourrai confirmer ma présence
dès demain

je souris discrètement
mais ils le voient c'est certain
je suis content

nous parlons encore de tout et de rien

mais rien n'est dit sur l'odeur d'Isabelle
ni sur le sourire d'Annie
ça
c'est pour moi
c'est mon secret et j'y ai droit

[18h47]
en sortant de table
je prépare mon lunch pour demain
je range les aliments restants
dans le frigo
je remplis le lave-vaisselle
j'appuie sur le bouton démarrer
et
je file vite dans ma chambre

j'ai aussi un poème à écrire

[18h58]
j'avais un genre à choisir
et j'ai choisi

je n'avais pas le goût d'écrire une lettre
pas vraiment le temps pour une BD

je me souviens que l'an dernier
madame Irène
et un auteur invité dans la classe
nous ont montré
comment écrire un poème
sans que ça soit quétaine
sans que ça rime facilement
et que ça soit plutôt agréable
et pas trop gênant à lire

avec madame Irène et l'auteur invité
nous avions le choix des thèmes

ce soir
le thème est l'amitié/l'amour

les deux en un seul thème

j'espère que ça ira mieux
qu'avec les maths de ce matin

[20h53]
avant de m'endormir
je relis les deux poèmes
que j'ai écrits après le souper

l'un parle d'Isabelle

l'un parle d'Annie

ça n'a rien à voir
avec les histoires de valentins
et de valentines

c'est juste que les deux sont inspirantes

et que je les aime

même si je ne sais pas
s'il s'agit d'amour ou d'amitié

avoir eu plus de temps
j'aurais aussi pu écrire sur Émile
Victor
ou Jules

je dépose les poèmes sur la table de chevet
j'éteins la lampe
je pose la tête sur l'oreiller

mon honneur est sauf
plus chevalier des mots que des poings
un parapluie au lieu de l'épée

ce que je suis
mon cœur après la pluie

L'auteur remercie le Conseil des Arts de Longueuil pour le soutien apporté à l'écriture de ce livre.

Merci Iron Maiden.

Voyagez avec les mêmes personnages dans les autres titres de cette saga poétique!

À partir de 13 ans

À partir de 11 ans

À partir de 13 ans

Pierre Labrie

Écrire apporte des surprises de la vie... Lorsque j'ai écrit *Le vent tout autour* (éditions de La Bagnole), mon premier livre de poésie pour la jeunesse, je ne m'imaginais jamais que cette nouvelle aventure poétique me mènerait aussi loin. Parce qu'après j'allais en écrire la suite : *Nous sommes ce contient* (Soulières éditeur). Les personnages d'Elle et Lui venaient alors de prendre encore plus forme. L'idée d'en faire une «saga poétique» commença à ce moment à me trotter dans la tête. Le personnage de Elle allait être nommé et devenir Alice dans *Un gouffre sous mon lit* (Soulières éditeur), livre qui raconte sa jeunesse. Puis un coup *Le vent tout autour* épuisé, j'ai eu le goût de lui redonner une nouvelle vie, un nouveau souffle, une nouvelle forme, une nouvelle identité. Il allait devenir *Suivre le lapin blanc* (toujours chez Soulières éditeur). Sous cette version revue et augmentée, le lien entre les livres de la saga s'intensifiait. Puis arriva *Mon cœur après la pluie* pour raconter la jeunesse du personnage central, Lui. Livre de poésie que vous avez maintenant entre les mains. Ne me restait plus qu'à écrire le dernier livre qui viendrait tout refermer l'histoire entière et c'est ce que je retournerai faire aussitôt que j'aurai terminé d'écrire ce mot !

Pierre

Du même auteur en poésie
pour la jeunesse

- *Nous sommes ce continent*, poésie pour ados. Soulières éditeur, 2012. *(Prix littéraire des enseignants AQPF-ANEL 2013 - catégorie poésie et finaliste au Prix Alvine-Bélisle 2013)*
- *Un gouffre sous mon lit*, poésie pour ados. Soulières éditeur, 2014. *(Prix littéraire des enseignants AQPF-ANEL 2013 - catégorie poésie et Grand Prix de littérature jeunesse de la Montérégie 2015)*
- *Chacun sa fenêtre pour rêver*, poésie pour enfants, avec des illustrations de Mika, Soulières éditeur, 2016. *(Sélection 2017-2018 de Communication-Jeunesse et Prix illustration jeunesse – Salon du livre de Trois-Rivières)*
- *Ma chanson préférée*, poésie pour enfants, avec des illustrations de Mika, éditions Espoir en canne, 2018.
- *Suivre le lapin blanc*, poésie pour ados. Soulières éditeur, 2018.

Du même auteur en roman
pour la jeunesse traitant de poésie

- *La poésie, c'est juste trop Beurk !,* roman jeunesse, illustré par Jean Morin, Soulières éditeur, 2017. (Prix littéraire des enseignants de français AQPF-ANEL 2018 - catégorie roman 9 à 12 ans)

Une liste complète des œuvres de l'auteur (album, roman et poésie, pour la jeunesse et les adultes) est disponible sur son site Internet : www.pierrelabrie.com